TRIO

yng Nghastell Caernarfon

Manon Steffan Ros

TRIO
yng Nghastell Caernarfon

Lluniau gan Huw Aaron

atebol

Cyhoeddwyd gyntaf yng Nghymru yn 2018 gan
Atebol, Adeiladau'r Fagwyr, Llanfihangel Genau'r Glyn,
Aberystwyth, Ceredigion SY24 5AQ

www.atebol.com-siop

ISBN 978-1-91-226159-8

Dyluniwyd gan Elgan Griffiths

Golygwyd gan Adran Olygyddol Cyngor Llyfrau Cymru

Dymuna'r cyhoeddwr gydnabod cymorth ariannol Cyngor Llyfrau Cymru

Argraffwyd a rhwymwyd yng Nghymru

1 Caio a Maia

Dyma Clem, Dilys a Derec. Maen nhw wedi bod yn ffrindiau ers amser maith. Maen nhw'n benderfynol o fod yn griw anturus a llwyddiannus, fel clybiau mewn llyfrau hen ffasiwn ...

Mae Clem am gael ei alw'n CLEM CLYFAR! Fo sy'n gwybod popeth am bopeth, a'i feddwl chwim yn gallu datrys unrhyw gliw ...*

* Yn anffodus, dydy meddwl Clem ddim mor chwim â

hynny. Tan y llynedd, roedd o'n meddwl fod broga yn fath o ddeinosor tew.

Mae Dilys am i bawb ei galw'n DILYS DDYFEISGAR! Mae'n dyfeisio pob math o bethau anhygoel yng ngarej ei chartref.*

*Mae'r pethau mae Dilys yn eu dyfeisio **yn** anhygoel. Yn anhygoel o wael. Wythnos diwethaf, dyfeisiodd het arbennig wedi ei gwneud o bethau roedd hi wedi dod o hyd iddyn nhw o gwmpas y tŷ. Cafodd Mam goblyn o sioc pan welodd ei merch yn gwisgo sawl math o gig ar ei phen. 'Het fwytadwy!' meddai Dilys, gan tynnu darn o gig moch o'i llygad.

Un arall o'r criw ydy DEREC DYNAMO, fel mae o'n hoffi cael ei adnabod. Mae o am fod fel archarwr, yn gryf fel tarw ac yn gallu rhedeg yn gyflymach, neidio'n uwch a dringo'n well na phawb arall.*

* Yn anffodus, mae angen bod yn heini i redeg yn gyflym. Mae Derec yn aml yn cael ei basio gan Miss Jenkins, yr hen wraig 102 oed sy'n cerdded yn araf, araf i bob man.

Gyda'i gilydd, mae'r tri ffrind annwyl ac anobeithiol yma wedi ffurfio grŵp antur ... CLEM, DILYS A DEREC YW TRIO!

Pennod 1

'Mae'n teimlo fel amser mor hir ers i ni gael antur!' ochneidiodd Dilys yn ddiamynedd. 'Dwi wedi 'niflasu'n llwyr!'

Eisteddai Trio yng nghegin fach tŷ Dilys. Roedd hi'n fore dydd Sadwrn, a doedd gan y tri ffrind ddim cynlluniau o gwbl am weddill y dydd. Doedd ganddyn nhw ddim digon o arian i ddal bws i'r dref a chrwydro'r siopau, nag i fynd i'r sinema chwaith. Byddai wedi bod yn braf mynd am dro, ond roedd hi braidd yn llwyd ac yn gaddo glaw. Roedd gweddill y plant o'u dosbarth nhw mewn parti pen-blwydd heddiw, ond, fel arfer, doedd Trio ddim wedi cael gwahoddiad.

Doedd Trio *byth* yn cael gwahoddiad i bartïon y plant eraill. Er nad oedden nhw'n hollol siŵr beth oedd yr union reswm, roedd y tri wedi hen arfer cael eu galw'n enwau diflas a hyll, fel *od* a *wiyrd*. Fel 'na roedd hi wedi bod erioed.

'Be am i ni gael cystadleuaeth i weld pwy sy'n gallu bwyta'r

platiad mwya o basta sych?' gofynnodd Derec.

'Rwyt ti wastad eisiau cystadlaethau bwyta,' cwynodd Clem. 'Ac rwyt ti'n gwybod ar ôl y tro diwetha ei bod hi'n syniad gwael iawn i fwyta pasta sych, Derec. Roeddet ti'n sâl am ddyddiau.'

Ochneidiodd Derec. Ei hoff fwyd oedd pasta sych, er ei fod o'n rhoi poen bol ofnadwy iddo, ac yn ddigon caled i dorri ei ddannedd.

'Mae'n rhaid fod 'na antur i'w chael yn rhywle!' meddai Clem wedyn. 'Rhywun wedi colli cath, neu ddihirod yn dwyn afalau o ardd rhywun ... unrhyw beth o gwbl!'

'Dim byd,' atebodd Dilys yn ddigalon. 'Mae popeth yn hollol dawel yn y pentre, Clem.'

Agorodd drws y cefn, a daeth Yncl Bob i mewn i'r gegin. Ewythr Dilys oedd o, ond roedd pawb yn y pentref yn ei alw'n Yncl Bob.

'Wel wir! Am gasgliad o wynebau hir!' meddai wrth edrych ar

y tri ffrind. 'Rydych chi'n edrych fel petaech chi'n clywed oglau drwg!'

Un digon surbwch a blin oedd Yncl Bob, a dweud y gwir. Doedd o byth yn gwenu – wel, doedd hynny ddim yn hollol wir, chwaith. Roedd o'n chwerthin llond ei fol pan oedd rhywbeth anffodus yn digwydd i rywun arall – os oedd rhywun yn baglu

ar y stryd, neu'n cwympo oddi ar feic, neu os byddai gwylan yn gwneud ei busnes yn un llanast mawr gwyn ar ben rhywun. Dyna pryd fyddai Yncl Bob yn chwerthin. Yr unig raglenni roedd o'n eu gwylio ar y teledu oedd y rhai ofnadwy yna sy'n dangos pobl yn baglu neu'n cael anhap, a'r gynulleidfa'n morio chwerthin ar eu pennau.

'Does 'na ddim byd i'w wneud, Yncl Bob,' cwynodd Dilys.

'Dim byd i'w wneud, wir!' bloeddiodd hwnnw dros y gegin. 'Hy! Tydy plant yr oes yma ddim yn gwybod beth ydi diflastod ...'

'A dweud y gwir, Yncl Bob,' meddai Clem yn hollwybodus, 'dwi'n gwybod yn iawn beth ydi diflastod. Dwi'n gwybod popeth, dach chi'n gweld.'

'Wyt ti, wir?' holodd Yncl Bob, oedd wedi clywed hyn ganwaith o'r blaen.

'Ydw! Mae o'n golygu pan dydach chi'n methu blasu. Di-flastod. Roedd Llywelyn Fawr yn dioddef pyliau o ddiflastod. Dyna pam ei fod o mor denau. Be ydi'r pwynt bwyta bisgedi os nad oes blas arnyn nhw?'

'Ym ...' meddai Yncl Bob.

'Yr unig beth roedd Llywelyn Fawr yn ei fwyta oedd swshi – rhywbeth digon anodd i gael gafael arno bryd hynny.' Gwenodd Clem ar Yncl Bob. 'Doedd 'na ddim Tesco yng nghyfnod Llywelyn Fawr, wyddoch chi.*'

*Rydych chi, ddarllenwyr clyfar, yn gwybod nad dyna mae diflastod yn ei feddwl go iawn. Mae o'n golygu bod yn bôrd. A does 'na ddim tystiolaeth o gwbl i awgrymu fod Llywelyn Fawr yn methu blasu, nac yn bwyta swshi. Plis peidiwch â dweud y pethau yma wrth eich athrawon, rhag ofn i awdur y llyfr yma gael ffrae am ddweud celwydd wrth blant Cymru.

'Beth bynnag,' meddai Yncl Bob, oedd ddim yn siŵr sut i ymateb i Clem. 'Dwi wedi dod i ofyn i chi a ydach chi am ddod efo fi i Gaernarfon am y pnawn. Mae gen i fusnes i'w drafod yn y banc, felly bydd rhaid i chi edrych ar ôl eich hunain.'

'Gwych!' meddai Dilys. 'Diolch, Yncl Bob.'

Wrth gwrs, roedd yn rhaid i Trio bacio'u bagiau cyn mynd, a chafodd Clem arian gan ei fam i brynu hufen iâ i'r tri. Ac ymhen dim, roedd hi'n amser neidio i hen gar Yncl Bob, ac i ffwrdd â nhw am Gaernarfon!

Pennod 2

Doedd Yncl Bob ddim yn hoffi gyrru pan oedd Trio yn y car. Er ei fod o'n hoff iawn o'r tri plentyn rhyfedd, byddai'n teimlo'n nerfus efo nhw yn y car. Roedden nhw'n griw mor wirion weithiau!

Wrth gwrs, meddyliodd Yncl Bob wrtho'i hun wrth iddo yrru i Gaernarfon, roedd o'n deall pam eu bod nhw wedi creu'r criw Trio yma. Wedi cael syniad o lyfrau hen ffasiwn roedden nhw. Roedd Yncl Bob wedi gwneud yr un fath ei hun gyda chriw o'i ffrindiau – Giang y Giât oedd eu henwau nhw. Ond doedden nhw ddim wedi bod hanner mor wirion â Trio, chwaith.

Cofiodd Yncl Bob rai o'r pethau gwirion roedd Trio wedi eu gwneud yn ddiweddar:

- Pan ddechreuodd hi fwrw eira, roedd y criw wedi clirio'r llwybr i dŷ Yncl Bob, ond yn lle rhoi'r eira mewn lle call, roedden nhw wedi pentyrru'r cyfan wrth ddrws ei dŷ, gan olygu ei fod yn sownd yno am dridiau.

- Roedd y tri wedi penderfynu, am ryw reswm, fod y gwenoliaid oedd yn nythu yn y bondo yn siarad Ffrangeg, ac am bron i bythefnos bu'r tri yn cuddio yn y llwyni wrth dŷ Yncl Bob mewn cuddwisg, gydag offer recordio.

- Roedd y tri wedi anghofio sôn eu bod nhw wedi defnyddio oergell Yncl Bob i storio un o arbrofion gwallgof Dilys. Cafodd yr hen ŵr dipyn o sioc un noson pan ddaeth o hyd i lond bwced o fwd gyda doli gwyllt yr olwg yn ei ganol wrth iddo ymestyn am laeth i gael yn ei baned.

16

Felly, efallai ei bod hi'n naturiol fod Yncl Bob braidd yn nerfus o gael Trio yn y car – doedd dim dal beth fyddai'r tri ffrind yn ei wneud nesaf.

Wrth lwc, aeth y daith yn ddigon cyflym, a chyn bo hir roedd Yncl Bob yn parcio'i gar blêr mewn maes parcio yn y dref.

'Wela i chi mewn awr,' meddai Yncl Bob wrth y tri ffrind. 'Byddwch yn ofalus, a pheidiwch â gwneud unrhyw beth gwirion.'

'Wrth gwrs!' atebodd Clem. 'Peidiwch â phoeni amdanon ni, Yncl Bob, 'dan ni'n ddoeth bob amser!' Rholiodd Yncl Bob ei lygaid, ac i ffwrdd â fo i gyfeiriad y banc.

Roedd hi'n ddiwrnod braf yng Nghaernarfon, a'r cymylau llwydion wedi hen ddiflannu.

'I ble awn ni gynta?' holodd Derec. 'Am hufen iâ?'

'Be am fynd i fyny i weld y castell?' awgrymodd Clem. 'Mae o'n adeilad mor fendigedig!' Felly aeth y tri am yr hen gastell sydd ynghanol tref Caernarfon.

Ond roedd y castell yn edrych yn wahanol iawn heddiw. A dweud y gwir, roedd o'n edrych yn hyll! Roedd sgaffaldiau wedi cael eu gosod o'i gwmpas, a chriw mawr o bobl yn sefyll yn ei ymyl yn gweiddi.

'Be ar y ddaear sy'n digwydd yma?' gofynnodd Dilys. 'Dewch i ni gael mynd at y bobl yna er mwyn eu holi.'

Roedd y bobl yn brysur iawn yn protestio, a dyn ifanc yn y blaen yn siarad efo nhw drwy feicroffon. Roedd pawb yn flin iawn, iawn, ac ar ôl gwrando ar y dyn ifanc am ychydig, daeth Trio i ddeall pam.

'Maen nhw wedi cau Castell Caernarfon!' meddai Derec mewn braw.

'Er mwyn ei droi o'n fwyty neu rywbeth!' Ysgydwodd Dilys ei phen. 'Mae hynny'n ofnadwy! Clem, bydd rhaid i Trio wneud rhywbeth am hyn ... Clem? Ble aeth Clem?!'

Edrychodd Dilys a Derec o'u cwmpas am ei ffrind, ond doedd dim golwg ohono yn unman. Hynny yw, tan i'r ddau glywed llais cyfarwydd dros y meicroffon.

Roedd Clem wedi mynd at y dyn ifanc ar flaen y dorf oedd yn protestio ac wedi gofyn i gael dweud gair. Am ei fod o'n fach, safodd ar ben mainc er mwyn i bawb gael ei weld.

'Mae'n **hollbwysig** ein bod ni'n gwarchod y castell yma!' bloeddiodd, a churodd y protestwyr eu dwylo a gweiddi, 'Ydi!'

'Rydw i'n arbenigwr ar lawer o bethau, ac yn gwybod bod

Castell Caernarfon yn adeilad pwysig iawn yn hanes Cymru.'

Cymeradwyodd y dorf eto. 'Mae pawb yn meddwl y byd o Clem Clyfar!' meddai Derec, a nodiodd Dilys yn hapus.

'Cafodd y castell yma ei adeiladu yn 1983, sydd yn amser maith, maith yn ôl,' bloeddiodd Clem drwy'r meicroffon. Edrychodd ambell un o'r dorf ar ei gilydd mewn penbleth. 'Fe'i hadeiladwyd gan y Brenin Ian Rush, oedd eisiau byw yng Nghaernarfon am fod 'na neuadd fingo yma, ac roedd y Brenin Ian wrth ei fodd efo bingo.'

'Mae o'n siarad mor dda!' meddai Dilys.

'Gadewch i ni beidio byth ag anghofio'r adeg pan lenwodd y Brenin Ian y castell efo dŵr er mwyn creu pwll nofio i bobl

Caernarfon!' Aeth Clem braidd yn emosiynol, a gorfod sychu deigryn fach. 'Roedd o'n ddyn da! A dyna pam ei bod hi'n bwysig IAWN i ni beidio byth â gadael i Gastell Caernarfon gael ei droi'n fwyty*!'

*Rydych chi'n ddarllenwr clyfar, ac yn gwybod, mae'n siŵr, mai celwydd noeth oedd hyn i gyd. Mae hanes Castell Caernarfon ar gael mewn llyfrau ac ar-lein, a hanes difyr iawn ydi o hefyd. A dydy 1983 ddim yn amser maith yn ôl o gwbl, yn fy marn i.

Cymeradwyodd y dorf, er eu bod nhw'n edrych yn ddryslyd braidd erbyn hyn. Rhoddodd Clem y meicroffon yn ôl i'r dyn ifanc, a dychwelodd at ei ffrindiau.

'Gwych iawn, Clem!' meddai Derec.

'Anhygoel!' ychwanegodd Dilys.

'Wel, mae un peth yn sicr,' meddai Clem yn falch, 'Dim on UN criw sy'n gallu sortio problem fawr fel hon. TRIO!'

Pennod 3

'Mae gen i syniad da!' meddai Derec, ac ymestynnodd i'w fag i nôl ei git.

Dyma oedd yng nghit Derec Dynamo:

- Trôns i wisgo dros ei drowsus;
- Penwisg arbennig efo D am Derec arno;

- Mantell oedd wedi cael ei gwneud o lenni hen ffasiwn o dŷ ei nain. (Roedd y llenni yn hen iawn, iawn, felly roedd ambell dwll ynddyn nhw, a staeniau brown ych a fi nad oedd unrhyw un yn cofio beth oedden nhw.)

Roedd golwg od iawn ar Derec Dynamo. Mae rhai archarwyr yn edrych yn grêt mewn mantell a phenwisg, gyda'u trôns dros eu trowsus, ond dim ond mewn ffilmiau ac ar y teledu mae hynny, ac mewn comics. Mae'n anodd iawn i bobl gyffredin fel chi a fi a Derec wisgo'n dillad isaf ar y tu allan heb edrych yn rhyfedd iawn, iawn.

'Mae gen i gynllun!' meddai Derec Dynamo ar ôl gwisgo amdano. 'Rhaid i ni fynd i mewn i'r castell! Mae'n hollbwysig!'

'Ond sut wnawn ni hynny?' holodd Dilys.

'Mae'r waliau'n gryf iawn,' meddai Clem. 'Yn ddigon cryf i wrthsefyll y fyddin o gathod wnaeth ymosod ar y castell yn 1992!'

'Ydych chi'n anghofio mai fi ydi DEREC DYNAMO? Y cryfaf, y cyflymaf, y GORAU?' Dangosodd Derec ei gyhyrau.

'Sut wyt ti am fynd i mewn, Derec?' holodd Clem.

'Wel,' atebodd Derec, wrth ymestyn ei goesau, 'dwi'n gallu rhedeg yn ddigon cyflym i allu gwibio i fyny ochr yr adeilad yna!'

'Be?' gofynnodd Dilys mewn syndod. 'Go iawn? Mae o'n hynod o uchel!'

'Dwi'n archarwr, Dilys,' gwenodd Derec. 'Sefwch yn ôl! Dwi'n mynd i fyny!'

Cerddodd Derec yn ei ôl er mwyn cael digon o le i redeg at y castell. Diolch byth, doedd dim sgaffaldiau ar y rhan hon, dim ond wal fawr, lwyd.

A wal fawr *iawn* oedd hi hefyd.

Dechreuodd Derec redeg tuag ati, a dychmygodd ei hun fel archarwr mewn ffilm, yn rhedeg i fyny'r wal, a phawb yn troi i edrych mewn syndod ac edmygedd.

25

Ond, wrth gwrs, nid dyna ddigwyddodd. Rhedodd Derec i mewn i wal Castell Caernarfon, ac yna baglodd a syrthio ar ei ben-ôl.

'Aw!' meddai, gan rhwbio ei ben a'i ben-ôl am yn ail.

'Wyt ti'n iawn, Derec Dynamo?' gofynnodd Dilys yn llawn pryder.

'Ydw,' atebodd Derec, gan ysgwyd ei ben. Roedd o'n lwcus iawn, iawn nad oedd o wedi cael ei frifo'n ddifrifol. 'Mae'n rhaid bod 'na swyn arbennig ar y castell sy'n stopio archarwyr i redeg i fyny'r waliau!'

Cododd ar ei draed. 'Ond peidiwch â phoeni! Dwi'n dda iawn am ddringo. Mi wna i ddringo'r sgaffaldiau yma i ben y castell.'

'Mae hynny'n ofnadwy o beryglus,' rhybuddiodd Clem.

'Dim i Derec Dynamo!' gwenodd Derec, ac aeth draw at y sgaffaldiau.

Roedd o wedi gosod un droed ar y polyn er mwyn dechrau dringo, pan ddaeth gwaedd fawr, a rhedodd adeiladwr ato. Roedd o'n gweithio ar y castell. 'Beth yn y byd wyt ti'n ei wneud, y twpsyn gwirion?' bloeddiodd. 'Fedri di ddim dringo hwnna!'

'Ond fi ydi DEREC DYNAMO ...' dechreuodd Derec egluro, ond doedd dim diddordeb gan yr adeiladwr.

'Does dim ots gen i os mai ti ydi Batman, mêt, fedri di ddim dringo fan hyn. Mae o'n beryg bywyd!'*

* Er fy mod i'n gwybod, ddarllenwyr hoff, nad ydych chi'n dwpsod gwirion, mae'n well i mi wneud hyn yn hollol glir: peidiwch â bod fel Derec Dynamo. Mae dringo sgaffaldiau yn wirion o beryglys. Yn ogystal â hyn, peidiwch â rhedeg i mewn i waliau chwaith. Roedd Derec Dynamo yn lwcus o fod yn fyw.

'Ond mae'n rhaid i ni fynd i mewn i'r castell!' meddai Dilys wrth yr adeiladwr. 'I wneud yn siŵr nad ydy o'n cael ei droi'n fwyty!'

Gwenodd yr adeiladwr. 'Mae'n rhy hwyr. Mae Cai Cash – fo sy'n berchen ar y castell rŵan – yn benderfynol o gael ei fwyty yma. Waeth i chi roi'r gorau iddi'n syth!'

I ffwrdd â'r adeiladwr. 'Wel, dyna ni!' meddai Dilys yn ddigalon. 'Mae Trio wedi methu achub Castell Caernarfon!'

'Arhoswch funud ...' meddai Clem. Roedd o wedi cael syniad.

Pennod 4

Edrychodd Clem yn ei fag. Dyma oedd yng nghit Clem Clyfar:

- Côt wen, fel bydd gwyddonwyr mewn labordy yn ei gwisgo. Roedd hi braidd yn fawr i Clem, ac yn llusgo ar y llawr.

- Coron wedi ei gwneud o lawer o bensiliau wedi sticio at ei gilydd.

- Pentwr o lyfrau. (Doedd neb yn hoffi dweud nad llyfrau am wyddoniaeth, na mathemateg, na hanes oedd y llyfrau yma, ond llyfrau am sut i drin mwng ceffylau. Doedd gen Clem ddim ceffyl, ond weithiau roedd o'n

hoffi breuddwydio fod ganddo uncorn, ac yn meddwl am yr holl ffyrdd y byddai'n plethu ei fwng.)

Ar ôl rhoi ei wisg amdano, agorodd Clem un o'i lyfrau (*Mwng Ceffyl Gwedd: Glityr Glam*) ac edrych drwy un o'r tudalennau. 'Aha! Ro'n i'n gwybod 'mod i wedi gweld hwn yn rhywle!' Caeodd y llyfr, a throdd at ei ffrindiau.

'Dwi wedi clywed am Cai Cash. Dwi wedi darllen amdano.'*

* Yn amlwg, doedd dim gair am Cai Cash yn *Mwng Ceffyl Gwedd*, ond doedd neb yn poeni am hynny; wedi'r cyfan, roedd hyn yn ANTUR!

'Pwy ydi o?' gofynnodd Derec.

'Peidiwch â sôn! Mae o'n ddihiryn ofnadwy!' atebodd Clem. 'Yn ddihiryn cyfoethog iawn, iawn. Mae o wedi gwneud ei ffortiwn gyda'i gwmni enwog, Cŵn Hyll.'

'Cŵn Hyll?' holodd Dilys mewn penbleth.

'Ia! Rydach chi'n siŵr o fod yn gwybod amdano. Mae o'n creu pethau gyda lluniau o gŵn hyll arnyn nhw ... Pethau fel clustogau, pyjamas, bagiau ysgol. Pob un efo cŵn hyll arnyn nhw. Ond mae o'n ddyn drwg, wyddoch chi, er bod 'na rywbeth del iawn am y cŵn hyll.'

'Pam? Be mae o wedi ei wneud sy'n ddrwg?' gofynnodd Derec.

Ysgydwodd Clem Clyfar ei ben. 'Mae o'n *ofnadwy* ...'

'BE?!' holodd Dilys.

'Mae o'n ... Mae o'n ... Mae o'n prynu bob un bochdew ciwt o'r siopau anifeiliaid anwes, fel bod 'na ddim ar ôl i'r plant bach. Ac wedyn, mae o'n hyfforddi nhw i wneud gwaith iddo!'

'NA!' meddai Derec. 'Mae hynna'n ofnadwy!'

'Eu hyfforddi nhw i wneud be?' gofynnodd Dilys.

'Popeth!' atebodd Clem yn ddramatig. 'Mae ganddo fo fyddin ohonyn nhw, yn coginio iddo fo, yn glanhau ei dŷ, yn gyrru ei gar ... Mae'n siŵr mai'r Fyddin Bochdewod fydd yn coginio'r

bwyd yn y bwyty newydd fydd yn lle Castell Caernarfon!'

'Rhaid i ni wneud rhywbeth am hyn,' meddai Dilys yn bendant. 'Mae Cai Cash yn ddyn peryglus iawn, a ... be ydi hwnna draw fanna?'

Trodd y bechgyn, a gweld rhywbeth yn disgleirio dan yr haul ar y palmant.

'Darn o arian ydi o!' meddai Derec. 'Pum ceiniog!'

'Mae 'na un arall yn fan hyn ...' Cododd Clem ddarn deg ceiniog, ac yna un arall.

'Mae 'na lawer ohonyn nhw!' meddai Dilys. 'Hei, ydych chi'n meddwl yr un peth â fi ..?'

'Dwi'n meddwl am ddonyts,' meddai Derec, gyda gwên hapus.

'Donyts efo jam yn y canol. Jam mafon. Mmmm.'

'Wel, na, dim am hynny ro'n i'n meddwl,' meddai Dilys. 'Mae 'na lwybr o arian yma, a 'dan ni'n chwilio am Cai Cash, sy'n ddyn ...'

'Cyfoethog!' meddai Clem. 'Gwych, Dilys! Os ydan ni'n dilyn y llwybr o arian, 'dan ni'n siŵr o ddod o hyd i Cai Cash!'

Felly dyna wnaeth y tri. Roedd y llwybr o arian ar y pafin wrth ymyl y castell, ac ymhen dim, roedd dwylo Trio yn llawn o arian.

'Rydan ni'n agos!' meddai Clem. 'Dwi'n siŵr y byddan ni'n dod o hyd i Cai Cash cyn bo ...'

'Be ar wyneb y ddaear dach chi'n ei wneud?' gofynnodd llais cyfarwydd. Edrychodd y tri phlentyn i fyny a gweld Yncl Bob

yn sefyll yno, yn edrych i lawr ar Trio mewn penbleth. Cyn i unrhyw un gael cyfle i ateb, ychwanegodd, 'O! Rydach chi wedi dod o hyd i fy arian i! Diolch i chi. Wnes i ddim sylweddoli fod gen i dwll yn fy mhoced.'

Rhoddodd ei law yn mhoced ei gôt er mwyn dangos y twll.

'Chi sydd piau'r arian?' meddai Clem yn ddigalon.

'Ia, siŵr!' Cymerodd Yncl Bob yr arian o ddwylo'r plant, a'i roi ym mhoced ei gôt. 'Ew mae golwg drist arnoch chi i gyd! Ewch i gael hufen iâ, wir! Wela i chi mewn ryw hanner awr.' Ac i ffwrdd â fo.

'Be nesaf?' gofynnodd Clem. 'Rydan ni angen mynd i mewn i'r castell, dod o hyd i Cai Cash, a newid ei feddwl – a hynny ar unwaith! Os nad ydi Trio yn llwyddo, mi fydd Castell Caernarfon yn cael ei newid yn fwyty ymhen dim!'

Pennod 5

'Dwi ddim yn meddwl fod 'na obaith i Trio tro 'ma,' meddai Derec. 'Roedd Yncl Bob yn iawn. Waeth i ni anghofio hyn a mynd i gael hufen iâ.' Roedd chwant bwyd ar Derec, a gwnaeth ei fol sŵn rhyfedd, fel broga yn ceisio canu opera. 'W! Esgusodwch fi!'

'MAE 'na obaith,' meddai Dilys yn benderfynol. 'Arhoswch funud!' Aeth i'w bag i nôl ei chit.

Cit Dilys Ddyfeisgar oedd:

- Oferôls glas (wel, *onesie* oedd o a dweud y gwir. Roedd ei Mam wedi ei brynu iddi fel anrheg pen-blwydd, ac roedd smotiau gwyn drosto);

- Bocs o declynnau fel morthwylion, cŷn a channoedd o sgriws a hoelion (Plastig oedd y cyfan, wrth gwrs – roedd Dilys yn rhy ifanc ac yn rhy wirion i gael teclynnau go iawn, siŵr);

- Rhyw fath o helmed od, gyda gwydr clir er mwyn iddi allu gweld beth oedd yn digwydd.

Ar ôl i Dilys wisgo amdani, edrychodd yn fanwl ar y castell, ac ar y pethau oedd ganddi yn ei bag.

Peth anhygoel oedd bag Dilys Ddyfeisgar. Byddai'n newid ei gynnwys bob dydd, ond roedd o wastad yn gyfuniad rhyfedd iawn o bethau od roedd hi'n gobeithio fyddai'n ddefnyddiol wrth iddi geisio dyfeisio pethau gwych a defnyddiol.

Dyma rai o'r pethau oedd ganddi heddiw:

• Tair mesen

• Llun o frocoli oedd wedi ei dorri allan o bapur newydd

- Modrwy blastig o gracyr Nadolig
- Dau ddarn o Lego
- Chwiban wedi torri
- Darn o bapur melyn llachar efo'r gair 'PLWMP' wedi ei sgwennu arno
- Fforc blastig

Wrth gwrs, roedd hi'n amhosib dweud beth fyddai ei angen ar Dilys Ddyfeisgar er mwyn dyfeisio beth bynnag oedd ei angen ar unrhyw ddiwrnod arbennig. Roedd ganddi lawer iawn, iawn o bethau yn ei hystafell wely, ac roedd y rhan fwyaf o'r pethau yna'n sbwriel llwyr i bobl gall fel chi a fi. Ond i Dilys, roedd bron bob dim yn drysor.

(Byddai Dilys yn aml iawn yn cael ffrae gyda'i rhieni am gyflwr anniben ei llofft. Doedd Mr a Mrs Davies ddim yn deall pam ei bod hi angen cymaint o bethau, ac yr un oedd ateb Dilys bob tro: 'Mae angen y pethau yna arna i er mwyn dyfeisio!' Ond doedd Mr a Mrs Davies ddim yn siŵr beth oedd rhywun yn gallu ei ddyfeisio efo hanner paced o fisgedi cŵn o 2002, neu grib oedd wedi colli ei ddannedd i gyd, neu gwpan wy gyda'r enw 'Geoff' arno.)

Syllodd Dilys ar gynnwys ei bag, a cheisiodd feddwl am rywbeth gwych i'w ddyfeisio er mwyn mynd i mewn i Gastell Caernarfon. Hmm. Roedd hyn yn anodd.

Ond ar ôl ychydig, ymestynnodd Dilys am ambell beth, a'u gludo nhw i'w gilydd gyda thâp gludiog. Syllodd Clem a Derec arni gydag edmygedd. Roedden nhw'n teimlo mor lwcus i gael dyfeiswraig mor ddawnus yn eu criw!

'Da-daaaaaaa!' bloeddiodd Dilys o'r diwedd, gan neidio ar ei thraed yn fuddugoliaethus a dal y ddyfais newydd yn ei llaw.

'Wooooooooooow,' meddai Clem a Derec.

Dyfais ryfedd iawn oedd hi. Roedd Dilys wedi creu ffon hir o hen aerial radio, un o'r pethau metal hir sy'n gallu cael eu ymestyn. Ar un ochr, roedd Dilys wedi sticio fforc blastig wen, ac ar yr ochr arall, hen handlen oddi ar raw. Daliodd y pen gyda'r handlen yn ei llaw, ac roedd y pen gyda'r fforc yn pwyntio at y castell.

'Waw!' meddai Derec eto. 'Mae hwnna'n anhygoel, Dilys Ddyfeisgar! Ym ... Be ydi o?'

'Dyfais newydd sbon danlli!' atebodd Dilys yn falch. 'Dyma'r Ffon Ffantastig!'

'Ond be mae hi'n ei wneud?' gofynnodd Clem.

'Rydw i am roi'r fforc yn erbyn un o waliau'r castell,' meddai Dilys. 'Ac yna, bydd Derec Dynamo yn ei gwthio gan ddefnyddio'r handlen yma. Gan fod Derec mor gryf, bydd o'n siŵr o allu rhoi digon o bwysau arni i ddymchwel waliau'r castell!'

'Gwych!' meddai Derec Dynamo yn falch. Roedd o wrth ei fodd ei fod o'n rhan o gynllun Dilys.*

*Wrth gwrs, rydych chi a finnau'n gwybod na fyddai syniad fel hyn yn gweithio. Byddai'r ffon fetel yn plygu, neu'r fforc yn torri, a hyd yn oed os na fyddai'r pethau yna yn digwydd, byddai teclyn fel hwn byth yn ddigon i ddymchwel castell sydd ganrifoedd oed.

'Da iawn ti, Dilys Ddyfeisgar!' meddai Clem. 'Does dim amser i falu awyr rŵan – dewch! Derec, gwell i ti gymryd y Ffon Ffantastig a dymchwel y castell yma.'

Pasiodd Dilys y ffon at Derec, ond doedd hi ddim yn ofalus iawn. Gan fod y ffon yn hir, roedd hi'n anodd i'w rheoli, a digwyddodd rhywbeth braidd yn anffodus.

Collodd Dilys reolaeth o'r ffon, ac aeth y fforc bach plastig i mewn i ben-ôl dyn oedd yn digwydd pasio.

Wrth gwrs, does neb eisiau cael ei binsio ar ei ben-ôl gan fforc blastig wrth fynd am dro ar ddiwrnod braf. Roedd y dyn yma'n un blin iawn hefyd, ac fe gollodd ei dymer yn llwyr.

'Be ar wyneb y ddaear ydach chi'n ei wneud?' bloeddiodd, ei wyneb yn goch. Edrychodd ar y Ffon Ffantastig, ac roedd yr olwg ar ei wyneb yn dangos nad oedd o'n meddwl fod y ffon yn ffantastig o gwbl. 'Hen blant drwg ydach chi!'

'Mae'n ddrwg iawn gen i!' meddai Dilys yn frysiog. 'Damwain oedd hi. 'Dan ni'n trio torri i mewn i'r castell ...'

'Be?' meddai'r dyn yn gandryll. 'Dach chi'n torri i mewn i gestyll ac yn sticio ffyrc plastig i benolau pobl hyfryd fel fi?!'

Ysgydwodd ei ben, ac yna gafaelodd yn y Ffon Ffantastig, a'i phlygu yn ei hanner gyda'i ddwylo, cyn ei thaflu ar lawr.

'O na!' meddai Dilys.

'Pam na ewch chi i'r parc fel plant eraill!' meddai'r dyn, cyn troi a cherdded i ffwrdd.

Roedd Trio'n ddigalon iawn. 'Waeth i ni roi'r gorau iddi,' meddai Dilys. Aeth i godi'r Ffon Ffantastig oddi ar y llawr, ac edrychodd arni'n ddigalon cyn ei rhoi yn ei phoced. 'Does gan

Trio ddim gobaith o achub Castell Caernarfon rŵan.'

Nodiodd Clem a Derec. Roedd Dilys yn iawn – roedd y tri ffrind wedi methu.

Pennod 6

Eisteddodd Clem, Dilys a Derec ar y wal yn ymyl Castell Caernarfon. Roedd y tri'n drist iawn.

'Bydd y castell yn cael ei droi'n fwyty mawr hyll, a bydd pawb yn anghofio ei hanes diddorol,' meddai Clem.

'A bydd pawb yn chwerthin am ein pennau ni, fel maen nhw'n gwneud bob amser,' meddai Derec. Roedd o'n meddwl am y plant eraill yn yr ysgol oedd yn gwneud hwyl am Trio o hyd, ac yn eu galw nhw'n rhyfedd ac yn *wiyrd*. Yn dda i ddim.

'Awn ni i gael hufen iâ?' gofynnodd Dilys yn ddigalon. 'Does 'na ddim pwynt i ni aros o gwmpas y castell, rŵan ein bod ni wedi methu.'

Roedd hi'n prysuro yng Nghaernarfon, ac wrth i'r tri gerdded ar hyd y palmant tuag at y siop hufen iâ, roedden nhw ynghanol torf mawr o bobl. Am fod y tri yn teimlo'n drist iawn, doedd neb yn canolbwyntio, dim ond yn cerdded efo'r criw mawr.

Roedd Clem yn meddwl am y castell, ac am hanes Ian Rush, y brenin, oedd yn siŵr o gael ei anghofio ar ôl i'r castell gael ei droi'n fwyty.

Roedd Dilys yn meddwl am y dyn blin oedd wedi torri ei Ffon Ffantastig, ac yn teimlo'n euog am brocio ei ben-ôl efo'r fforc blastig, hyd yn oed os mai damwain oedd hi. Doedd hi ddim yn hoffi meddwl bod rhywun yn meddwl mai merch gas oedd hi.

Roedd Derec yn meddwl am hufen iâ, ac yn gobeithio fod 'na ddigon o'r un blas candi-fflos ar ôl yn y siop.

'Hei!' meddai Clem ar ôl ychydig. 'Ble yn y byd ydan ni?'

Edrychodd y tri i fyny. Roedd y tri wedi cerdded, heb feddwl, ynghanol y dorf, a doedd y lle yma ddim yn edrych fel strydoedd Caernarfon o gwbl. Doedd dim siopau yma, a dim ceir, ac wrth edrych ar y dorf yn gwasgaru o'u cwmpas, gwelodd Trio mai adeiladwyr oedden nhw i gyd.

'O mam bach, dwi'n gwybod lle ydan ni!' meddai Dilys gyda gwên.

'Bangor?' gofynnodd Derec.

'Na!' meddai Clem. ''Dan ni *yn* y castell! Mae'n rhaid ein bod ni wedi cerdded i mewn drwy'r drysau efo'r adeiladwyr yna!'

Edrychodd Trio o gwmpas y castell. Doedd dim byd wedi newid y tu mewn iddo hyd yn hyn. Doedd o'n sicr ddim yn edrych fel bwyty, ond roedd digon o adeiladwyr yno, ac edrychai fel petai'r gwaith dymchwel ar fin dechrau.

'Rhaid i ni ddod o hyd i Cai Cash cyn gynted â phosib,' meddai Dilys. 'Cyn i'r gwaith ddechrau go iawn.'

'HEI! HEI, CHI!' Daeth llais uchel o'r ben arall y castell, a daeth dyn bach, bach draw at Trio yn frysiog. Er ei fod o'n oedolyn, roedd o'n fyrrach na Clem, Dilys a Derec, ac roedd golwg od braidd arno. Gwisgai siwt lwyd, ac roedd ganddo wallt du sgleiniog a mwstásh trwchus, fel brws. 'Pwy yn y byd dach chi? Be dach chi'n ei wneud yma?'

'Trio ydan ni,' esboniodd Clem yn falch. 'Rydan ni'n griw sy'n glyfar iawn, ac yn helpu ...'

'Does dim angen help arna i, ond diolch yn fawr am y cynnig. Fi ydi perchennog newydd Castell Caernarfon, ac mae gen i fyddin o adeiladwyr yma! Well i chi fynd, blant – mae safleoedd adeiladu'n llefydd peryglus iawn, wyddoch chi ...'

'Chi ydi Cai Cash?' holodd Dilys mewn syndod. Doedd o ddim yn edrych fel y dyn peryglus y bu Clem yn siarad amdano.

'Ia wir!' Estynnodd i ysgwyd llaw Dilys, ac yna gwnaeth yr un fath gyda Clem a Derec. 'Braf iawn i gwrdd â chi, ond dwi'n brysur braidd, fel dach chi'n gweld ...'

'Chi ydi Cai Cash, perchennog cwmni'r Cŵn Hyll?' gofynnodd

Derec. Wnaeth o ddim sylwi fod Clem yn cochi braidd.

'Cŵn hyll? Does gen i ddim cŵn hyll. Mae gen i alergedd i flew cŵn,' atebodd Cai Cash mewn penbleth.

'Chi ydi Cai Cash, sydd wedi gwneud byddin o fochdewod?' gofynnodd Dilys.

Agorodd Cai Cash ei geg i ateb, ond doedd o ddim yn siŵr beth i'w ddweud. 'Byddin o fochdewod?' meddai o'r diwedd. 'Mae gen i alergedd i'r rheiny hefyd. Dydych chi ddim yn cario rhai yn eich pocedi, ydach chi?'

'Rydan ni wedi dod yma i'ch stopio chi rhag troi Castell Caernarfon yn fwyty,' meddai Clem yn sydyn, cyn i Dilys a Derec holi mwy.

'A!' nodiodd Cai Cash. 'Dwi'n gweld. Ond mae arna i ofn 'mod i am gario 'mlaen efo 'nghynlluniau. Mae'n gyffrous iawn!'

'Ond beth am ...' dechreuodd Dilys.

'Cyn i chi ddweud mwy, dychmygwch hyn,' meddai Cai Cash. Pwyntiodd at un gornel o'r castell. 'Bydd 'na fyrgyrs a pizza ar gael yn fanno.' Pwyntiodd at gornel arall. 'Swshi a brechdanau yn fanno. Ac yma, yn yr union le 'dan ni'n sefyll rŵan, bydd 'na gŵn poeth a sglodion.'

Edrychodd Trio ar ei gilydd. Llyfodd Derec ei weflau wrth feddwl am yr holl fwyd blasus. 'Mae hynny **yn** swnio'n hyfryd ...' dywedodd.

'Ond yr uchafbwynt fydd y llawr uchaf,' meddai Cai Cash

gyda gwên. 'Bydd 'na siop hufen iâ **enfawr** yna! Efo llawer iawn o wahanol flasau o hufen iâ ... siocled, fanila, mefus ...'

'Fydd 'na flas banana yna?' gofynnodd Clem.

'Bydd!'

'Be am flas gwm cnoi?' gofynnodd Dilys.

'Ym ... hufen iâ blas gwm cnoi?!' meddai Cai Cash. 'Na, dwi ddim yn meddwl ...'

'Be am flas bara brith?' holodd Derec.

'Hufen iâ blas bara brith?!' meddai Cai Cash. 'Rydych chi'n bod yn wirion rŵan. Does 'na ddim ffasiwn beth â hufen iâ blas bara brith! Na hufen iâ blas gwm cnoi, chwaith!'

'Oes tad!' meddai Dilys. 'Maen nhw ar gael yn y siop hufen iâ ar y stryd.'

Edrychodd Cai Cash ar Dilys am amser hir, ei lygaid yn fawr fel soseri. 'Siop h ... hufen iâ? Yma yng Nghaernarfon?'

'Ia! Un o'r goreuon yn y byd!' meddai Derec. 'Mae 'na o leiaf ugain gwahanol flas yna.'

'Wyddwn i ddim fod 'na siop hufen iâ yma,' meddai Cai Cash. 'Dwi ddim wedi bod i Gaernarfon o'r blaen, a dweud y gwir.'

'Ew oes! Mae 'na lawer iawn o lefydd da i brynu bwyd yma,' meddai Dilys.

'Roedden ni ar ein ffordd draw i brynu hufen iâ, Cai Cash,' meddai Clem. 'Beth am i chi ddod efo ni? Gawn ni ddangos Caernarfon i chi.'

'O, dwn i ddim,' meddai Cai Cash. 'Rydan ni i fod i ddechrau dymchwel y castell pnawn 'ma ...' Pwyntiodd at gerbyd enfawr gyda phêl fetel anferthol ar gadwyn hir yn crogi ohoni. Pelen ddymchwel oedd hi, ac roedd hi'n barod i chwalu hen waliau Castell Caernarfon.

'Fyddwn ni ddim yn hir!' meddai Dilys.

'... Ac mae'r hufen iâ wir yn hyfryd,' ychwanegodd Derec.

'Iawn 'ta. Dewch! Rydw i'n edrych ymlaen i flasu hufen iâ bara brith ...'

Pennod 7

Daeth hi'n amlwg iawn wrth gerdded o gwmpas Caernarfon gyda Cai Cash nad oedd y dyn yn gwybod unrhyw beth o gwbl am y dref. Wrth iddo gerdded ar hyd y strydoedd, roedd o'n dweud pethau fel 'Wel! Mae'n dlws iawn yma!' a 'Wyddwn i ddim fod 'na siopau a chaffis a ballu yng Nghaernarfon!'

Aeth Trio i ddangos rhai o'u hoff lefydd yn y dref. Cafodd y dyn crand weld yr holl gaffis bach hyfryd, y becws, a'r holl siopau da da. Cafodd weld y siop jips, a chafodd arogli'r sawr bendigedig oedd yn llifo drwy'r drws allan i'r stryd. Gwelodd y siop siocled, a'r holl ddanteithion bach perffaith oedd yn y ffenest.

'Mae 'na barc hyfryd ar ochr draw y bont fach yna hefyd,' meddai Derec. 'Rydan ni'n mynd yna weithiau. Ac mae 'na barc sglefrfyrddio.'

'Oeddech chi'n gwybod mai'r Brenin Ian Rush, brenin Castell Caernarfon, wnaeth agor y parc sglefrfyrddio yna? Roedd o'n

arbenigwr ar y gamp. Fe gafodd o fedal aur am sglefrfyrddio yn y Gemau Olympaidd.'

'Y Brenin?' gofynnodd Cai Cash. 'Pwy oedd o, 'ta?'

'Wel, brenin y castell, wrth gwrs. Roedd o'n ddyn arbennig iawn, ac yn eithaf anarferol am ei fod o'n chwarae pêl-droed i dîm Cymru, yn ogystal â bod yn frenin.'

'Ew! Ac yn fy nghastell i roedd o'n byw?'

'Ia. Mae o'n cael ei gofio yng Nghaernarfon bob blwyddyn, wyddoch chi. Ar Ddydd Cenedlaethol y Brenin Ian. Mae pawb yn prynu pinafal, ac yn 'u gwisgo nhw ar eu pennau. Fel het.'

'Pam felly?'

'Am mai dyna oedd hoff ffrwyth y Brenin Ian. Roedd o'n cael o leiaf dau bob mis.*'

*Doedd dim ffasiwn berson â'r Brenin Ian, wrth gwrs (Er, roedd dyn o'r enw Ian Rush yn arfer chwarae pêl-droed i Gymru.) Dydy pobl Caernarfon ddim yn gwisgo pinafalau ar eu pennau o gwbl.

Nodiodd Cai Cash yn feddylgar.

'Dyma ni o'r diwedd,' meddai Derec. 'Y siop hufen iâ!'

Cafodd Clem flas fanila. Cafodd Dilys flas banana a thaffi. Cafodd Derec flas candi-fflos, a chafodd Cai Cash flas bara brith. Safodd y pedwar y tu allan i'r siop yn mwynhau'r blas hufennog hyfryd.

'Wel wir!' meddai Cai Cash. 'Hufen iâ blas bara brith! Pwy ar wyneb y ddaear fyddai wedi meddwl fod ffasiwn beth yn bodoli?!'

'Wmffff wamff fffmfff,' atebodd Derec. Doedd neb yn gwybod beth oedd o'n trio'i ddweud gan fod ei geg yn llawn hufen iâ.

'Lle braf ydi Caernarfon, yndê,' meddai Cai Cash ar ôl i bawb orffen eu hufen iâ.

'Ond bydd o'n newid yn llwyr ar ôl i chi agor eich bwyty,' meddai Dilys.

Roedd Cai Cash yn dawel am ychydig, ac yna ochneidiodd. 'Rydach chi'n iawn, wrth gwrs. Mi fyddai agor bwyty anferthol yma yn beth ofnadwy. A does gen i ddim gobaith o greu hufen iâ gystal â beth sydd yma'n barod.'

Edrychodd Trio ar ei gilydd.

'Ydi hyn yn golygu ..?' holodd Clem.

'Ydi! Ydi wir!' Gwenodd Cai Cash yn llydan. 'Ar ôl gweld mor hyfryd ydi Caernarfon, a chlywed yr hanes am y Brenin Ian, fedrwn i ddim dymchwel Castell Caernarfon.'

'Wwwwww-hwwwww!' meddai Trio, ond wnaethon nhw ddim dathlu am hir. Torrodd Cai Cash ar eu traws.

'O, bobl bach! O, na!'

'Be sy'n bod?' gofynnodd Derec yn syn.

'Rhaid i ni frysio'n ôl i'r castell! Bydd y lle yn cael ei chwalu gan y bêl ddymchwel unrhyw eiliad! Mae'n rhaid i ni eu stopio nhw!'

Trodd Clem a Dilys at Derec, oedd yn barod am ras sydyn i'r castell.

'Peidiwch â phoeni, Cai Cash!' meddai Derec yn falch. 'Derec Dynamo ydw i, a fi ydi'r person cyflymaf a chryfaf yn y byd!' A dechreuodd redeg i gyfeiriad y castell.

Yn anffodus, doedd Derec Dynamo ddim mor gyflym â hynny. Roedd o'n llawn hufen iâ, hefyd, a doedd o ddim wedi bod yn ymarfer corff yn aml yn ddiweddar, felly doedd o ddim yn heini chwaith. Dechreuodd Clem, Dilys a Cai Cash redeg tuag at ddrws y castell hefyd, a chyn bo hir, roedd y tri wedi pasio Derec Dynamo, oedd yn ei ddyblau yn cael ei wynt ato.

Yn y castell, roedd yr adeiladwyr i gyd yn barod i ddechrau gweithio. Roedd un ohonyn nhw, dyn mawr gyda barf gochlyd, yn eistedd yng ngherbyd y belen ddymchwel, ac fel y bydd rhai adeiladwyr call yn gwneud, roedd o'n gwisgo clustffonau rhag ofn i'r sŵn mawr wneud niwed i'w glustiau.

'Stop!' bloeddiodd Cai Cash wrth redeg i ganol yr adeiladwyr. 'Stopiwch hyn! Mae'n rhaid i ni achub Castell Caernarfon!'

Trodd yr holl adeiladwyr i edrych ar Cai Cash mewn syndod.

Pawb heblaw am un.

Eisteddai'r un adeiladwr mawr barfog yn ei gerbyd, ac roedd yr injan wedi ei thanio. Roedd ei lygaid ar y belen fetel fawr oedd yn crogi ar y gadwyn enfawr. Roedd o'n meddwl am gael mynd adref i wylio gêm pêl-droed, ac roedd o'n gobeithio cael

chwalu Castell Caernarfon cyn gynted â phosib er mwyn iddo gael gorffen yn y gwaith. Er ei bod hi'n goblyn o gastell mawr, roedd y dyn yn siŵr y byddai'n gallu chwalu ei hanner hi mewn dim o dro.

'STOOOOOP!' Gwaeddodd Trio, gan chwifio eu breichiau yn wyllt. 'STOPIWWWWWCH!'

Mewn chwinciad, roedd yr adeiladwyr i gyd wedi sylweddoli beth oedd yn digwydd, ac roedden nhw hefyd yn gweiddi ar y dyn yn y cerbyd ac yn chwifio eu breichiau. Roedden nhw wedi bod yn teimlo braidd yn ansicr am chwalu Castell Caernarfon, a dweud y gwir, ac yn falch iawn o glywed fod Cai Cash wedi newid ei feddwl am droi'r lle yn fwyty.

Ond doedd gan y dyn yn y cerbyd ddim syniad am yr hyn oedd yn digwydd. Roedd ei feddwl yn bell. Rhoddodd ei law ar y llyw bach oedd yn rheoli'r belen fawr, a dechreuodd y belen symud yn frawychus o agos at wal y castell.

Roedd hi'n rhy beryglus i unrhyw un redeg o flaen y cerbyd er mwyn dal llygad y gyrrwr. Ond roedd y castell yn siŵr o gael ei ddymchwel!

Heb feddwl yn iawn am beth roedd hi'n ei wneud, rhoddodd Dilys ei llaw yn ei phoced ac ymestyn am yr unig beth oedd yno – y Ffon Ffantastig. Roedd hi'n dal wedi plygu.

Cipiodd Derec y Ffon Ffantastig o ddwylo Dilys, a gan ddefnyddio ei holl nerth, taflodd y ffon at y cerbyd*.

*Peidiwch BYTH â thaflu dim byd at gerbyd. Does dim rhaid i mi ddweud wrthych chi fod hynny'n beth gwirion iawn i'w

wneud. Roedd Derec yn ffŵl am ei wneud o.

Er bod Derec wedi gobeithio taro sgrin y cerbyd i greu sŵn mawr, un gwael am daflu oedd o. Gwibiodd y ffon heibio'r cerbyd.

OND ...

Drwy gornel ei lygad, gwelodd y gyrrwr rywbeth od iawn yn hedfan heibio ffenest ei gerbyd. Trodd ei ben ychydig bach i weld beth oedd yna, a dyna pryd y sylwodd o ar yr holl bobl oedd yn ceisio dal ei sylw – gweddill yr adeiladwyr, wrth gwrs, Cai Cash, a Clem Clyfar, Dilys Ddyfeisgar a Derec Dynamo. Syllodd y gyrrwr ar bawb yn gegrwth. Roedd pawb yn neidio i fyny ac i lawr, yn chwifio eu breichiau.

Pam fod pawb yn dawnsio? meddyliodd y gyrrwr, cyn diffodd yr injan a thynnu ei glustffonau.

Dyna pryd y dechreuodd pawb ddathlu, gan daflu eu breichiau o gwmpas ei gilydd a gweiddi mewn llawenydd. Gwnaeth Cai Cash ddawns fach hapus, oedd ychydig yn od gan ei fod o'n un sâl ofnadwy, ofnadwy am ddawnsio. A dweud y gwir, roedd o'n edrych yn debycach i iâr gyda phoen yn ei bol na dyn yn dathlu ei fod o wedi achub castell hynafol. Dim ots.

'Da iawn chi, Trio!' meddai Cai Cash yn hapus. 'Fyddwn i ddim wedi newid fy meddwl am ddyfodol y castell heblaw amdanoch chi. Chi sydd wedi achub Castell Caernarfon!'

Edrychodd Trio ar ei gilydd yn gwenu. Doedden nhw ddim wedi arfer llwyddo yn eu cynlluniau gwirion bost, felly roedd hyn yn deimlad arbennig iawn.

Cafodd pawb brynhawn hyfryd y diwrnod hwnnw. Aeth Trio i ddweud wrth Yncl Bob beth oedd wedi digwydd, ac aeth yntau yn ôl i'r castell i ddathlu gyda Cai Cash a'r adeiladwyr. Roedd Cai Cash yn gyfoethog iawn, wrth gwrs, a phrynodd yr holl hufen iâ yn y siop i bawb gael ei fwynhau yn yr haul. Aeth rhywun i brynu map er mwyn penderfynu ble roedd o am adeiladu ei fwyty enfawr, gan wneud yn siŵr na fyddai'n dinistrio unrhyw beth gwerthfawr nac yn brifo teimladau unrhyw un.

Daeth maer Caernarfon i longyfarch Trio. 'Rydych chi wedi achub y dref hon!' meddai'n bwysig i gyd. 'Mae Caernarfon yn werthfawrogol iawn o'ch gwaith caled chi. Rydych chi'n archarwyr go iawn!'

'Mae hynny'n ddigon gwir,' atebodd Clem, fel petai hyn i gyd yn hollol arferol i'r tri ffrind. 'Ni sydd wedi achub y dref a'r castell. Roedd hi'n bleser, yn enwedig o gofio mai yng Nghaernarfon mae'r ddraig goch sydd ar faner Cymru yn byw.'

Edrychodd y maer arno mewn penbleth.

'Ydi, mae hi'n byw yn un o'r fflatiau uwchben y siop jips,' ychwanegodd Clem yn wybodus. 'Judy ydi ei henw hi. Mae'n llawer cleniach na fyddai rhywun yn ei ddisgwyl. Mae'n hoffi chwarae rownders.'

Edrychodd y maer o'i gwmpas wedyn, fel petai'n meddwl fod rhywun yn gwneud hwyl am ei ben. Ond ymhen dim, roedd o'n bwyta hufen iâ blas gwm cnoi, ac roedd Cai Cash yn gwneud ei orau i drio prynu'r gadwyn aur fawr oedd o gwmpas ei wddf.

Pennod 8

Wnaeth mam Dilys ddim credu gair o stori'r plant pan ddaeth y tri yn ôl o Gaernarfon. Roedd y peth yn swnio'n wirion, yn enwedig o gofio'r holl bethau gwallgof roedd Trio wedi eu gwneud yn y gorffennol. Ac mae'n deg dweud fod y tri yn tueddu gor-ddweud hanesion. Bobl bach! O fewn y tri mis diwethaf, roedd Trio yn honni eu bod nhw wedi ...

- Achub cathod rhag diflannu'n llwyr o wyneb y ddaear;
- Wedi darbwyllo ymwelwyr gwyrdd o'r gofod i fynd yn ôl i'w planed, sef lle mewn galaeth bell o'r enw Plwmp;
- Wedi dyfeisio math newydd ac arbennig o ffrwyth, sef banafal, oedd llawer iawn yn fwy afiach nag y mae'n swnio.

'Achub Castell Caernarfon, wir!' meddai Mam wrth ysgwyd ei phen. Roedd Trio'n eistedd wrth fwrdd y gegin yn adrodd yr hanes, a'r radio bach ymlaen yn y gornel. 'Wel wir!

Mae gennych chi'ch tri ffasiwn ddychymyg!'

'Ond mae o'n wir, Mam!' meddai Dilys.

'Twt lol! Chlywais i erioed ffasiwn ...'

A dyna pryd y gwelodd hi'r ddynes ar y teledu'n dweud, 'Ac mae 'na ddathlu mawr yng Nghaernarfon heno ar ôl i'r castell gael ei achub gan dri pherson ifanc arbennig iawn ...'

Tawelodd Mam yn syth, ac aeth ei llygaid yn fawr, fawr.

'Mae adroddiadau'n dweud bod y criw, sy'n galw ei hunain yn Trio, wedi darbwyllo'r miliwnydd crand, Cai Cash, i beidio dymchwel Castell Caernarfon. Mae sôn y bydd cerfluniau mawr o Clem Clyfar, Dilys Ddyfeisgar a Derec Dynamo yn cael eu codi yng nghanol Maes Caernarfon i nodi'r diwrnod arbennig hwn ... A phwt o newyddion i gloi, mae'n ymddangos fod maer Caernarfon wedi colli ei gadwyn aur ...'

'Bobl annwyl!' gwaeddodd mam Dilys mewn syndod. 'Bobl bach!'

'Ddywedais i, yn do!' meddai Dilys, ychydig yn bwdlyd ond yn hapus iawn hefyd.

'Ond ... Trio yn *llwyddo* i wneud rhywbeth! Yn *iawn!*' meddai Mam wedyn. (Doedd hi ddim yn ceisio bod yn gas, wrth gwrs, ond roedd hyn i gyd yn syndod mawr iddi. Roedd hi'n poeni weithiau fod Trio'n mynd dros ben llestri.)

'Rydan ni'n archarwyr!' meddai Clem gyda gwên. 'Roedd pawb yn cytuno! Dwi'n meddwl bod pobl Caernarfon wrth ein boddau efo ni.'

'Roedd hyd yn oed Yncl Bob yn hapus ar ôl ychydig oriau yn yr haul yn dathlu,' meddai Dilys. 'Dwi ddim yn meddwl 'mod i wedi ei weld o'n chwerthin o'r blaen.'

Cafodd Trio noson fendigedig yn gwylio eu hunain ar y

newyddion, yn gwrando ar eu hanes ar y radio, ac yn chwerthin ar y lluniau gwych ohonyn nhw ar y we. Roedd pobl yn defnyddio geiriau fel 'arwyr', 'anhygoel', a 'criw bendigedig' amdanyn nhw. Roedd Cai Cash ei hun yn siarad ar y newyddion. (Gallai Trio weld bod cadwyn y maer yn ei boced.)

'Ro'n i'n benderfynol o droi Castell Caernarfon yn fwyty enfawr. Roedd gen i gynlluniau mawr! Ond roedd hynny tan i griw ifanc a gwych o'r enw Trio ddod i ddangos i mi mor bwysig ydy Caernarfon. Oeddech chi'n gwybod, er enghraifft, fod Caernarfon wedi cael ei enwi ar ôl bochdew hud o'r enw Arfon oedd yn byw yn y castell? Holwch Clem Clyfar – mae o'n gwybod yr hanes i gyd.'

Edrychodd y dyn newyddion ar Cai Cash yn gegrwth.

'Mae'r tri phlentyn yna'n anhygoel,' meddai Cai Cash wedyn. 'Pan fydda i'n agor fy mwyty newydd, dwi am enwi mathau o hufen iâ ar eu hôl nhw. Triog! Dach chi'n deall? Hahaha! Ew! Dwi'n glyfar, tydw!'

Erbyn iddi fynd yn amser i Clem a Derec fynd adref, roedd Trio wedi blino'n lân. Roedd heddiw wedi bod yn ddiwrnod anhygoel – un o'r goreuon erioed.

'Ydach chi am gael hufen iâ bach i ddathlu cyn i chi fynd?' gofynnodd mam Dilys yn garedig. Ond gwrthod wnaeth pawb, wrth gwrs.

'Gawn ni antur arall cyn bo hir, cawn?' meddai Derec cyn iddo adael.

'Wrth gwrs!' atebodd Clem yn bendant. 'Does 'na ddim anturiaethau mor wych a rhyfedd ag anturiaethau Trio, oes 'na?'

Roedd o'n llygad ei le.

Dyma eich cyfle i fwynhau un arall o anturiaethau Derec Dynamo, Dilys Ddyfeisgar a Clem Clyfar – Y Trio!

Cyfres o lyfrau ar gyfer darllenwyr ifanc sy'n mwynhau darllen am anturiaethau'r criw enwog. Pleser pur!